Traducción al español: Anna Coll-Vinent

Título de la edición original: «Papa!»
Impreso en Francia por Mame Imprimeurs, Tours

Philippe Corentin

¡Papá!

Editorial Corimbo

Barcelona

En la cama, se lee.

Pero también se duerme. ¡Buenas noches!

Pero de repente…
¿Eh? ¿Qué? ¿Qué es eso?

«¡Papá!»

«¡Papá! ¡Papá! ¡Hay un monstruo en mi cama!»

«¡Tranquilízate! ¡Has tenido una pesadilla, eso es todo! Ven, vamos a ver a mamá. Está en el salón con unos amigos.»

«¿Qué le pasa, a este hombrecito?», se extraña uno de los invitados.
«Ha tenido una pesadilla», dice papá.

«Ven, vamos a dormir. Da las buenas noches a todo el mundo», dice mamá.

«¿Y sabes por qué has tenido una pesadilla, más que bobo? Porque has comido demasiada tarta de patas de ciempiés. ¡Eso es lo que pasa!»

«¿Te has lavado los dientes? ¡Bien! ¿Has hecho pipí? ¡Así me gusta!
Venga, pichoncito, a dormir.»

Pues a dormir. Pero de repente…
¿Qué? ¿Qué es eso?

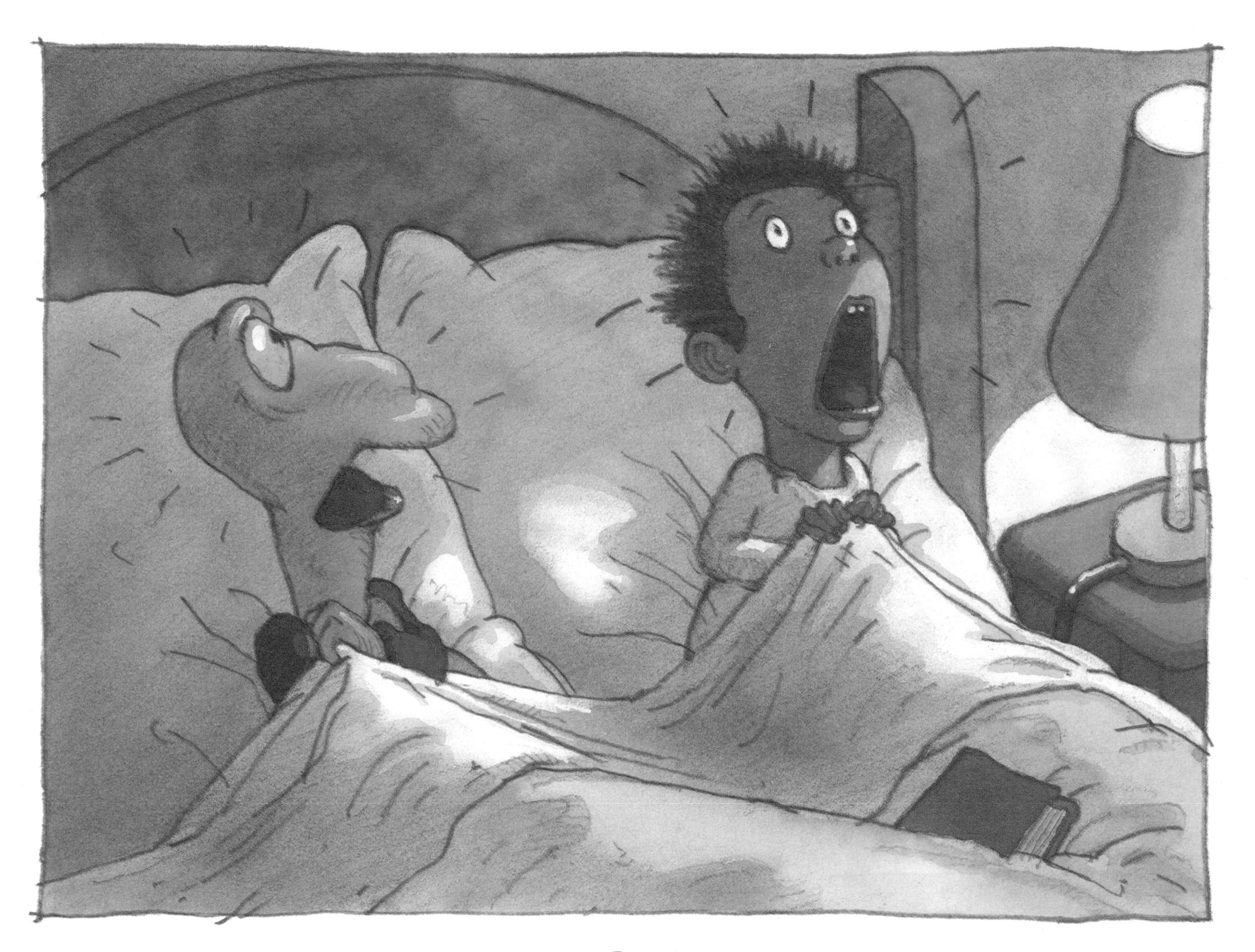

« ¡Papá! »

«¡Papá! ¡Papá! ¡Hay un monstruo en mi cama!»

« ¡ No tengas miedo ! Sólo ha sido una pesadilla. ¿ Sabes qué haremos ?
Iremos a ver a mamá al salón. Pero luego te irás a acostar ... ¿ vale ? »

« ¿ Qué le pasa a mi hombrecito ? », pregunta mamá preocupada.

«Lo que pasa es que ha comido demasiada tarta de manzana.
¡Por eso ha tenido una pesadilla!», añade mamá.
«Venga, a acostarse otra vez. Da las buenas noches a todo el mundo».

«Procura dormir».

«Te dejo la luz encendida. Ahora, a dormir».

Pues a dormir ...
¡Oh!

¡Oh!, el otro…

¡Bueno! ¡Basta! Es de noche, y de noche se duerme.
¡Ya está bien! Y punto … ¡ya está bien!